U0183395

大艺术家讲萌趣动物

鲨鱼

[法] 蒂埃里・德迪厄◎著 / 绘　　郑宇芳◎译

四川科学技术出版社

写在前面的话

《美丽中国》纪录片副导演　杨晔

从我记事开始，动物总是相伴于我的生活和成长。下雨天，门前马路上跳过的青蛙，动物园里在笼中徘徊的黑豹，小学毕业旅行时在青海湖见到的一群斑头雁，初中在操场做操时飞过树林的一只大猫头鹰……这些记忆伴随着我的成长，为一个孩子的童年带来了无限的快乐和梦想。

那时，互联网还没有普及，想要了解动物知识并非易事，介绍动物的科普书大部分是文字版的，而且充满了各种专业名词，对于一个刚刚识字的孩子来说，只能望书兴叹。毕业后，我进入英国广播电视公司（BBC）自然历史部，从事野生动物纪录片的相关制作工作。在工作之余的闲暇时光，我和同事们一起吃饭聊天，才知道他们并不一定是野生动物专业科班出身，但他们从小都非常热爱自然、热爱动物。他们通过各种渠道来了解动物们的种种故事，而图书，特别是那些制作精美、画面生动的科普图画书，曾在他们幼小的心灵里播撒下了科学的种子，激起了他们对自然的热爱、对动物保护的兴趣，促使他们将这种热爱和兴趣发展成为职业，从而开始了动物保护事业。

今天，我很高兴可以和大家聊聊这样的科普图画书。这套《大艺术家讲萌趣动物》由法国著名的艺术家、图画书作家蒂埃里·德迪厄创作，他在法国享有盛

名，曾荣获女巫奖、龚古尔文学奖等重要奖项。为了表彰他在儿童文学领域取得的巨大成就，2010年，他被授予法国儿童图书大奖——“魔法师特别大奖”。他的画风简洁、活泼可爱，文笔则透露出机智和幽默，深受小朋友们的喜爱。这套专门为学龄前儿童创作的图画书简约但不简单，作者精心选取了自然界中孩子们最感兴趣的多种动物，用幽默风趣的绘画和简洁明了的文字描绘了这些动物或广为人知，或普通人鲜有耳闻的行为和习性，从而帮助孩子们走近和了解这些动物。通过阅读这些书，孩子们了解到：童话中的大灰狼在现实中也有它害怕的天敌；勤劳的蜜蜂是舞蹈高手，因为它们要通过跳舞来传递信息；大猩猩和人类一样，也会使用工具；雄狮的工作不是捕食，而是巡视领地……这些知识对孩子们而言十分容易理解和接受，孩子们通过阅读，能感受动物世界的神奇与美好，而这也正是作者希望通过这些书传递给小读者们的情感。

作为一名科普教育工作者，我为孩子们有机会读到这样的优质图书而高兴。希望孩子们在阅读之后，能更好地感知和认识动物的生存价值，尊重和爱护它们；将动物当作人类真正的朋友，不去伤害它们，和它们和平共处，共同维护更加美好的地球家园。

让我们一起走进美好的动物世界，去感受自然的神奇和伟大吧！

“一切都在我的掌控之中，

我观察的这条鲨鱼可咬不到我。”

鲨鱼是一种大型肉食动物，
它把自己武装到牙齿，
而且天生就是个潜水高手！

除了南极，

我们能在世界各地的海洋里发现鲨鱼。

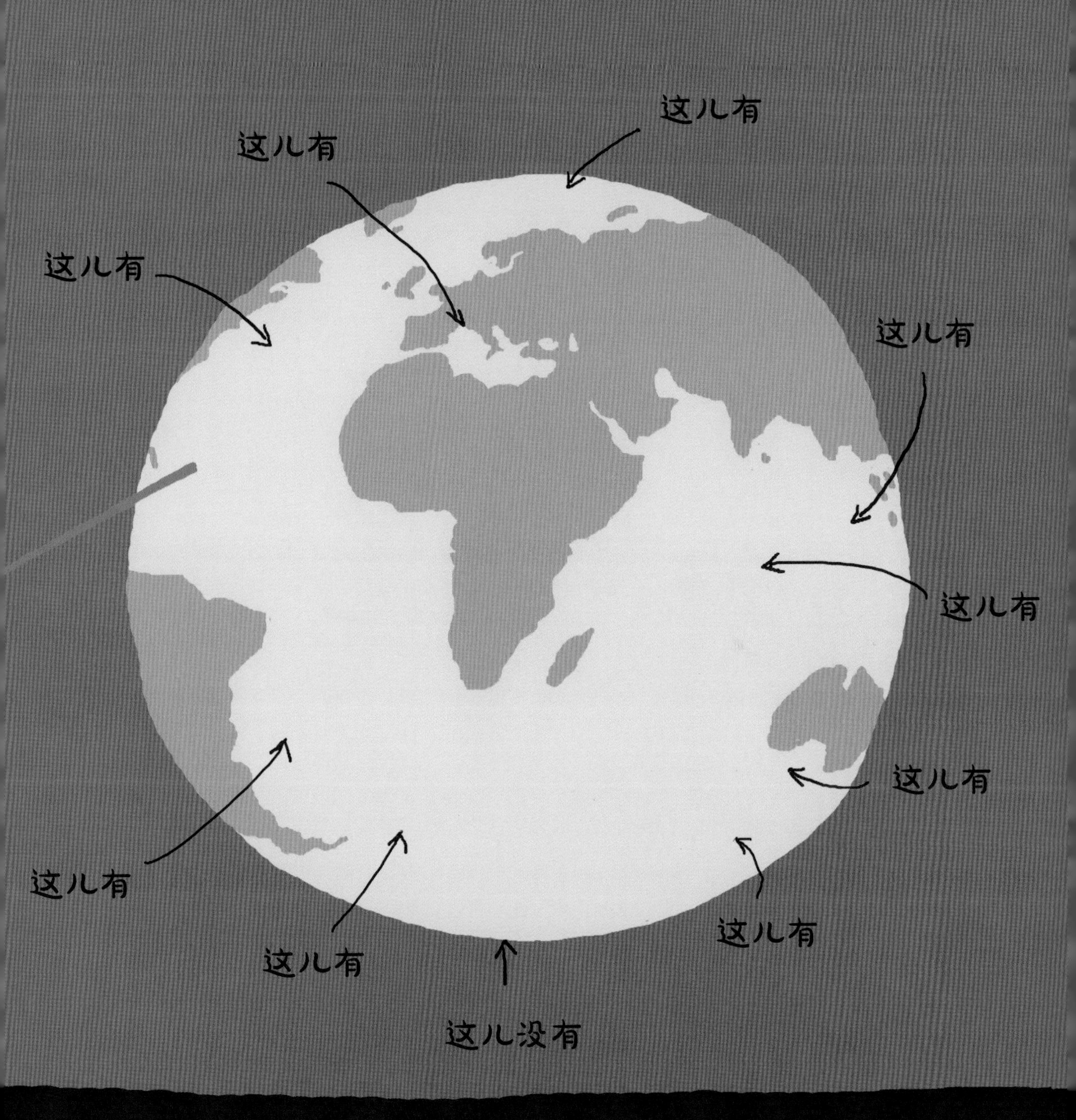
这儿有
这儿有
这儿有
这儿有
这儿有
这儿有
这儿有
这儿有
这儿有
这儿没有

鲨鱼的听觉和嗅觉
都特别灵敏。

鲨鱼的牙齿

鲨鱼的颌特别发达，有好几排牙齿，

而且几乎随时都在换新牙。

许多鲨鱼都需要不停地游动

才能够呼吸，

就算睡觉的时候也在动！

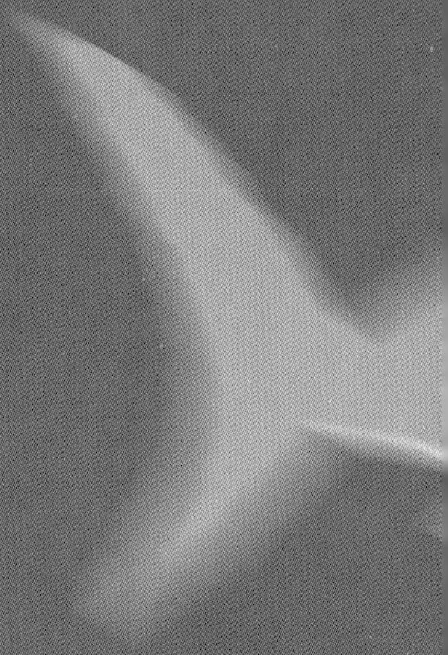

世界上有 300 多种不同种类的鲨鱼，

它们是非常不一样的。

双髻鲨

狐鲨

锯鲨

斑马鲨

鲸鲨

最小的鲨鱼——侏儒角鲨，

大约只有15厘米长。

最大的鲨鱼——鲸鲨，

可达20米长。

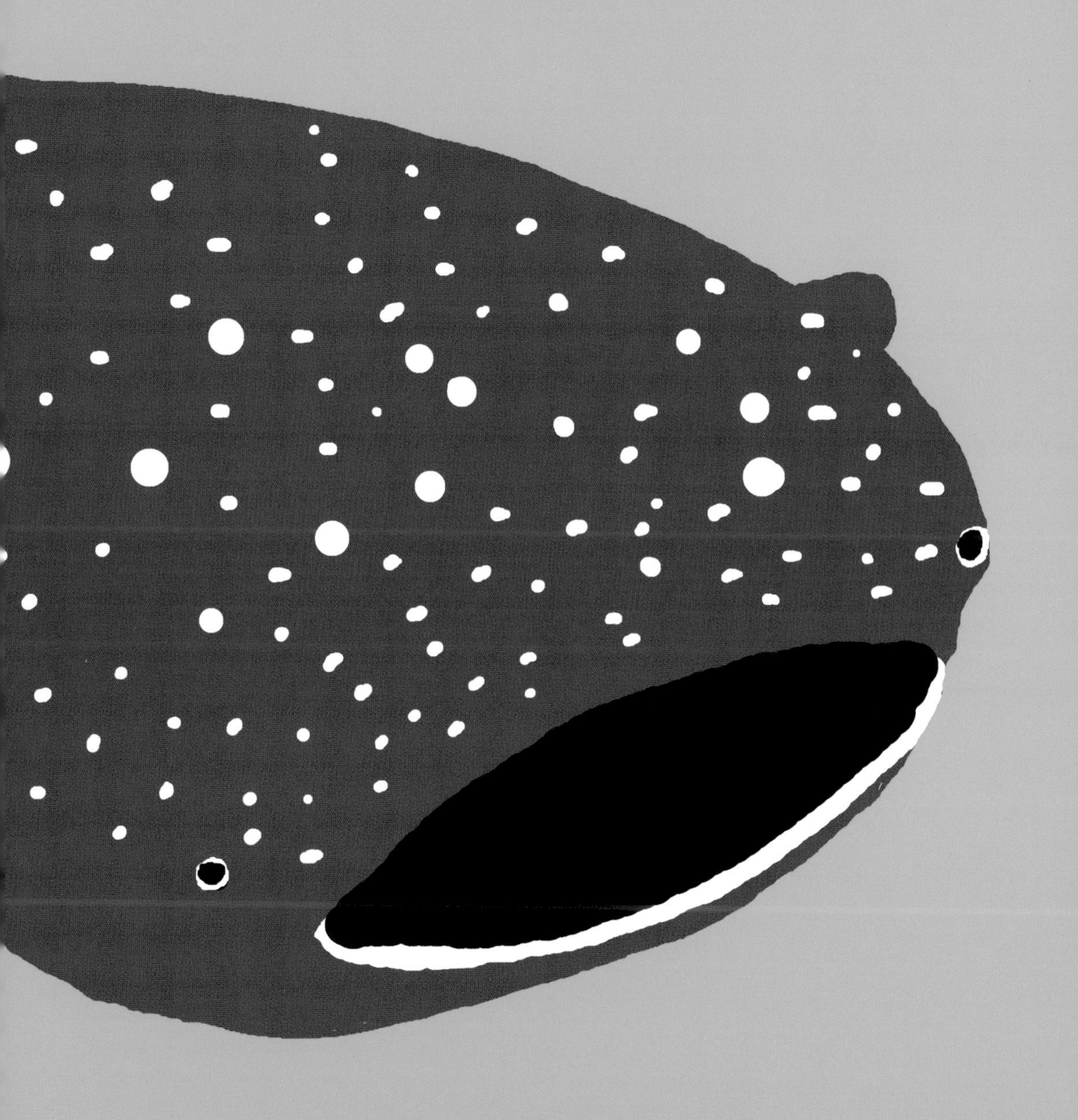

一些母鲨在水里产卵，
一些在孵化前把卵留在肚子里，
还有一些直接生小鲨鱼。

鲨鱼吃虾、蟹一类的甲壳动物，

也吃鱼、海豹、海龟、章鱼、鸟或浮游生物。

只有在极其偶然的情况下，
鲨鱼才会攻击人类。

因为人类的过度猎杀，

鲨鱼的生存受到了威胁。

“不！我刚刚不是看到鲨鱼鳍了吧？
不！我刚刚不是看到鲨鱼鳍了吧？
不！我刚刚不是看到鲨鱼鳍了吧？
不！不！不！”

一谈起鲨鱼这个海洋中的霸主，总是令人毛骨悚然。作为一种古老的生物，鲨鱼比恐龙出现得更早。而今天，恐龙早已灭绝，可依旧有超过350种鲨鱼存活在地球上。

鲨鱼属于软骨鱼类，和后期演化出的硬骨鱼不同，鲨鱼的鱼鳞称为盾鳞，和我们的牙齿结构类似，它可以帮助鲨鱼提高感知，减小阻力。

鲨鱼的鳃也很特别，硬骨鱼的鱼鳃可以通过鳃盖的开合实现水流的循环，而鲨鱼只有鳃裂，水流只能被动地进入，所以大多数鲨鱼终生都需要不停地游动来确保呼吸的顺畅。

鲨鱼没有鱼鳔，需要依靠富含脂肪的巨大肝脏和胸鳍来控制自己在水中的深浅。

鲨鱼的牙齿有很多排，因为在捕食中牙齿会不断地损失，所以鲨鱼的牙齿是不断替换生长的。

作为软骨鱼，鲨鱼最显著的特征就是鱼骨和鱼鳍都是软骨质的，而传统的错误观念认为鲨鱼的软骨富含营养，所以鲨鱼鳍（也就是鱼翅）成了所谓的美食，大量的鲨鱼因此而丧命。

鲨鱼的世界千奇百怪，它们的食物也多种多样，鲨鱼是海洋生态系统中重要的控制者，在鲨鱼的帮助下，海洋才能维持健康。因此，保护鲨鱼，就是保护我们自己。

图书在版编目（CIP）数据

大艺术家讲萌趣动物．鲨鱼 /（法）蒂埃里・德迪厄著、绘；郑宇芳译．-- 成都：四川科学技术出版社，2021.8
ISBN 978-7-5727-0208-2

Ⅰ．①大… Ⅱ．①蒂… ②郑… Ⅲ．①动物 - 儿童读物②鲨鱼 - 儿童读物 Ⅳ．① Q95-49 ② Q959.41-49

中国版本图书馆CIP数据核字(2021)第156542号

著作权合同登记图进字21-2021-252号

大艺术家讲萌趣动物・鲨鱼
DA YISHUJIA JIANG MENG QU DONGWU · SHAYU

出品人	程佳月		
著　者	［法］蒂埃里・德迪厄		
译　者	郑宇芳		
责任编辑	梅　红		
助理编辑	张　姗		
策　划	奇想国童书		
特约编辑	李　辉		
特约美编	李困困		
责任出版	欧晓春		
出版发行	四川科学技术出版社 成都市槐树街2号　邮政编码：610031 官方微博：http://weibo.com/sckjcbs 官方微信公众号：sckjcbs 传真：028-87734035		
成品尺寸	180mm × 260mm	印　张	2
字　数	40千	印　刷	河北鹏润印刷有限公司
版　次	2021年10月第1版	印　次	2021年10月第1次印刷
定　价	16.80元	ISBN 978-7-5727-0208-2	

本社发行部邮购组地址：四川省成都市槐树街2号　电话：028-87734035　邮政编码：610031